DES MÊMES AUTEURS, CHEZ LE MÊME ÉDITEUR

La Grande Méchante Lou

CONCEPTION GRAPHIQUE : L'BB

© Éditions Casterman, 1995.

ISBN 2-203-11733-8

PQ
2670
_O49F6
1995

H · U · M · O · U · R

Fanny Joly

Fous
de foot

illustré par Christophe Besse

ROMANS
casterman
HUIT & PLUS

À Philippe,
mon conseiller technique préféré
  F. J.

À Arthur, Marion et Rémi,
qui jouent à domicile
  C. B.

1

LA PREMIÈRE CHOSE que j'ai repérée, en arrivant à l'école de Saint-Grobœuf, c'est le but. Le but de football. La cour était petite, moche, grise, un peu façon cour de prison. D'ailleurs, les trois marronniers plantés au milieu avaient l'air de trois prisonniers. Les élèves, c'était pas mieux. À part quelques-uns qui semblaient contents de se retrouver, la plupart marchaient au radar, le cartable hagard, le nez pelé, les cheveux chiffonnés… Mais bon. Au fond de la cour, un peu de guingois, pas mal rouillé, il y avait ce but qui me faisait de l'œil, comme un soleil dans le matin brumeux de la rentrée.

Moi, le football, c'est ma passion. J'en suis folle.

D'ailleurs, dans mon ancienne école, on m'appelait la « foot-folle ». (Je tiens à préciser au passage que mon véritable nom est Sonia.) Là-bas, il ne risquait pas d'y avoir un but de football au milieu de la cour. La directrice, madame Bandu, avait le foot en horreur. Elle disait que c'est pas un sport de filles. Quelle vieille toupie, cette mémé ! Son école, c'était pas une école de filles, c'était une école de nouilles. Pour elle, les sports de filles se bornaient à : couture, chant et arts ménagers. Combien de fois ça m'a démangée de lui mettre un but, schblang !

bien centré dans le chignon. Les abrutis, c'est pas comme les numéros gagnants au Loto, on en trouve tout le temps. Et même bien plus qu'on voudrait.

Mais ne nous laissons pas entraîner hors de nos buts.

Donc, dans mon ancienne école, il n'y avait pas de but de football.

Mais je m'en fichais pas mal parce qu'à Flagny, là où on habitait avant, notre maison, c'était une maison. Avec un grand jardin autour. Et dans le jardin, avec Seb — mon frère Sébastien qui joue en minimes — et mon autre frère Bertrand — Beb, qui joue en cadets —, on s'était pas gênés pour en construire un, de but.

Au début, on avait pris la vieille machine à laver que les voisins

avaient abandonnée sur le trottoir. Mais c'était trop dur de marquer. Le tambour faisait à peine quarante centimètres d'ouverture. On a beau être entraînés, faut pas rêver. Ensuite, on s'est servi de la barque de Papy. La toute neuve. Celle qu'il nous avait confiée parce qu'il n'a pas de garage chez lui. Le seul problème, c'est quand Papy et Mamy venaient : là, il y avait intérêt à rentrer le bateau en vitesse. Heureusement, ils ne viennent pas souvent. Et ils préviennent toujours avant.

Vrai de vrai, on s'éclatait dans ce jardin. Le soir, comme mon école était plus près, j'arrivais avant Seb et Beb. Du coup, j'avais le temps de me mettre en tenue et de faire mon échauffement. Étirements des jarrets, touchers des orteils, abdominaux, pompes bras tendus, séries de sprints du garage au vieux pommier : aller, retour, en avant puis en arrière. Quand mes frangins arrivaient, j'étais fin prête. Même seule contre eux deux, j'arrivais à les mettre dans le vent et à marquer.

Avec le déménagement, tout a été chamboulé. Le

principal chamboulement, c'est que notre maison, maintenant, c'est un appartement. Les premiers jours, on a joué au foot dans la chambre de Beb, comme si de rien n'était. Le seul problème, c'est qu'on a cassé trois fois la vitre. Papa a fini par s'énerver. Surtout que c'était trois fois dans la même journée. Il faut le comprendre, pauvre papa, il n'est pas vitrier. Il est chercheur en biologie. Il cherche à comprendre des trucs dont, nous, on ne comprend même pas les noms. Il cherche aussi à comprendre, d'ailleurs, comment il a pu mettre au monde trois footballeurs, lui qui déteste les ballons et tout ce qui tourne autour. Je crois qu'il ne comprendra jamais.

Du coup, dans le nouvel appartement, on s'est rabattus sur les bouquins. Seb a surtout des livres techniques. Beb est abonné à France-Football. Moi j'en suis à mon troisième classeur-photos de la collection « Stars du ballon rond ». J'ai Maravilla, Grouskaeff, Gruyck, Kotoko en plein dribble. J'ai même un autographe de Raoul Bené avec écrit : « *Salu Sonia.* » Il a oublié le t à salut. C'est papa qui l'a remarqué. Je lui ai expliqué que Bené est Camerounais, vendu à Amsterdam, racheté par Milan, prêté à Monaco : son orthographe a du mal à suivre, forcément. Papa m'a

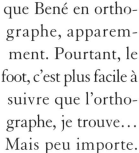

regardée d'un œil glauque. En foot il a vraiment du mal à suivre, pauvre papa. Encore plus que Bené en orthographe, apparemment. Pourtant, le foot, c'est plus facile à suivre que l'orthographe, je trouve… Mais peu importe. Chacun son truc. Moi, chaque soir, je continue à me mettre en tenue. Je fais mes pompes sur le tapis du salon. Avec Seb et Beb, on se repasse des matches au magnétoscope. Malheureusement, on n'a pas grand-chose, côté cassettes : Bordeaux-Nantes, mais c'est un match nul. Et vraiment nul, comme match nul. Brésil-Allemagne en coupe du monde, mais la bande est toute pourrie. On dirait qu'il neige sur le stade alors que c'était au mois de juillet. Sochaux-Monaco-Trois-Zéro. Celle-là, on l'a regardée vingt-sept fois. En accéléré. Au ralenti. Même en noir et blanc, pour voir. Mais y'a pas à dire : regarder du foot, c'est pas jouer ! C'est pour ça que la première chose que j'ai repérée, en arrivant à l'école de Saint-Grobœuf, c'est le but. Pendant qu'on se mettait en rang, j'ai tapé dans le dos d'une fille devant. Elle avait une gourde accrochée à son cartable et un air presque aussi gourde accroché à la figure :

— Ça joue au foot, dans le coin ?

— Hein ?

— Ça joue au foot, dans cette école ?

Elle a haussé les épaules, comme si je lui faisais une blague pas drôle. J'ai flairé que la partie était loin d'être gagnée…

la faute de
René…

E_{N CLASSE}, je me suis retrouvée à côté d'un petit frisé avec un museau de fouine et une dent cassée. Les mains cramponnées à la table comme si elle allait s'envoler, il fixait le prof, l'air super crispé. Pourtant, il n'avait vraiment rien de fascinant, notre nouveau prof. Grand, barbichu, les yeux aussi délavés que son jean, il nous a accueillis d'une voix raplapla, comme un ballon mal gonflé :

— Bon, ben, bienvenue. Bienvenue les nouveaux et ceux que je connais déjà de vue. On va essayer de passer cette année ensemble, le moins mal possible… Je me présente, je suis monsieur Timouard. Mais vous pouvez m'appeler Étienne. Son ton navré ne donnait franchement pas envie de l'appeler Étienne. Ni de l'appeler tout court, d'ailleurs.

Il a fallu que je gesticule pendant dix minutes au moins avant que mon voisin frisé daigne tourner vers moi ses yeux exorbités :

— Hé ! Comment tu t'appelles ? je lui ai lancé.

Ses sourcils se sont contorsionnés :

— Ssshhhttt !

— Ssshhhttt ? C'est drôle comme nom !

Ma plaisanterie ne l'a pas amusé. Il m'a tourné le dos pour se replonger dans la contemplation de monsieur Timouard Étienne. Je lui ai pincé le bras :

— Dis donc, t'es pas marrant, toi !

— On est pas là pour se marrer, figure-toi !

Clac, terminé : guichet fermé. Avec ma chance habituelle, j'étais tombée à côté du plus sinistre de la classe. Je n'ai plus eu d'autre solution que de me laisser bercer par le ronron de Maître Timouard, sur son estrade perché.

Coup classique : il nous a demandé de prendre une feuille, d'y inscrire nos noms, nos âges, ceux de nos frères et sœurs « le cas échéant » (c'est bien un truc de prof, ça, « le cas échéant ») et la profession de nos parents.

Ce qui m'a un peu inquiétée, c'est quand il a précisé :

— Prenez une copie double, quand même.

Avant d'ajouter, dans un silence pesant :

— On va voir un peu ce qui reste de vos connaissances de l'an dernier…

Brusquement, l'accord du participe passé, Napoléon, les pourcentages et les fractions se sont mis à danser devant moi, sur le fond de ciel bleu, comme des cerfs-volants dont j'aurais perdu les ficelles…

Comment rattraper tout ça ? Avec la tête ? Avec les bras ? Avec les pieds ?

On nous a distribué des feuilles photocopiées comprenant vingt questions numérotées. (Pratique pour la correction.)

Mon voisin s'est tourné vers moi pour m'en tendre une. Son regard semblait inquiet, vidé comme un paquet de chewing-gums après le passage de Seb et Beb.

Dix minutes plus tard, pendant que je peinais sur une horrible division à virgule, je l'ai aperçu, aussi blanc que maman rêve de retrouver ses torchons à la sortie de la lessive.

Son stylo errait sur sa feuille de brouillon où il avait dessiné un ballon de football !

Un type qui dessine un ballon de foot pendant une interro ne peut pas être complètement mauvais :

— T'as un problème ? T'y arrives pas ? je lui ai demandé, coopérante.

— Ça te défrise ? m'a-t-il répliqué du tac au tac, l'air bougon.

— C'est plutôt toi que ça a l'air de défriser. Moi je risque rien : j'ai les cheveux raides. Mais si tu veux, je te donne un coup de main.

Visiblement, il voulait. Alors je l'ai aidé, « le moins mal possible », pendant le temps qui nous restait. Au fur et à mesure que sa feuille se remplissait, mon voisin retrouvait ses yeux pétillants et son teint bronzé. Quand la cloche de la récré a sonné, j'ai pu enfin le questionner :

— Pourquoi t'as dessiné un ballon de foot sur ton brouillon, tu joues au foot ?

— Un peu mon neveu ! Je suis attaquant aux P.S.-G. !

— Quoi, le P.S.-G. ? Le vrai ?

— Les P.S.-G. ! Les Poussins de Saint-Grobœuf ! C'est l'équipe d'ici tiens pardi !

En fait, Djamel — il s'appelle Djamel — est un type vraiment très chouette, en dehors de sa nervosité. Et sa nervosité, je l'ai mieux comprise quand il m'a confié :

— Comme je redouble, mes parents en ont marre, tu comprends. Ils ont décidé que si j'ai pas la moyenne, j'arrête le foot. Dès le premier bulletin.

Et des bulletins, y'en a tous les mois. Même en septembre, je sais pas si tu vois !
Je voyais parfaitement. La privation de foot, c'est quelque chose que je commençais à connaître par cœur, moi aussi.

ce qui m'a fait pensée que Djamel devait être un type très bien !!!

3 Le lendemain, j'ai apporté mes trois classeurs-photos « Stars du ballon rond » à l'école, pour Djamel. Ça pesait le poids d'un âne mort dans mon cartable, mais quand j'ai vu son sourire, au début du cours de français, j'ai pas regretté. Toutes ses idoles, bien rangées, défilant entre ses doigts : ça l'a rendu heureux comme un roi.

Du coup, pendant la récré, il m'a présenté les autres membres de l'équipe des P.S.-G. Il y a Thomas, un très grand, tout blanc, comme vu dans un miroir déformant. Il y a Momo, un tout petit, très gros, comme vu dans un miroir déformant aussi, mais en largeur. Ils sont dans le CM2 de mademoiselle Piffre, à côté. Quand on s'est approchés, Thomas, le grand, était plongé dans un bouquin de géo. Momo, le gros, en sueur sous son survêtement à bandes fluos, mangeait un énorme sandwich qui sentait bizarrement :

— Salut Thomas, salut M'mo, a dit Djamel, voilà Sonia. C'est une nouvelle qui est avec moi. Elle adore le foot, comme fille.

Thomas a levé le nez, par-dessus ses lunettes d'écaille :

— Bonjour Sonia, a-t-il dit d'un ton gentil mais assez froid.

— Mmamm Mmouaimm chalummm, a péniblement articulé Momo qui était en train de mastiquer une grosse bouchée.

— C'est vrai, j'adore le foot. J'ai même gagné des coupes, déjà. Je pourrai vous les montrer, si vous voulez…

En disant ça, je savais bien que j'exagérais un peu. Les coupes qui sont dans le salon, c'est Seb et Beb qui les ont gagnées. Mais bon, y'a pas leur nom dessus. Et c'est quand même dans la famille. De toute façon, Thomas s'est contenté de sourire poliment. Quant à Momo, il n'a pas relevé. Il était très occupé à essayer de tirer un bout de sandwich qui s'était coincé entre ses dents de devant. J'ai dû le regarder trop fort. Il m'a tendu son casse-croûte, croyant sans doute que j'avais faim :

— Mmmm, t'ch'en veux un mmm peu ?

— Non merci non, je crois pas. C'est quoi ?

— Mmmm, c'est de la rillette pur porc. Avec des petits cornichons. Mmmm, c'est hyper bon.

— Oui mais à digérer : pardon ! a commenté Thomas en mimant un coup de poing dans l'estomac.

Je n'ai pas pu m'empêcher de prendre Djamel à part :

— C'est drôle, il a pas l'air tellement sportif, Momo…

— Crois pas ça ! Il joue défensif. Quand il jette sa masse dans le jeu, je peux te dire, y'a rien qui passe ! Et puis comme ses parents ont la charcuterie sur la place, à chaque match, ils font un buffet. Ça met une ambiance super chez les supporters. L'an dernier, au tournoi des poussins, ils ont même offert une terrine. On a collé une étiquette « Champion des poussins », ça a fait un peu comme une coupe. Même mieux, parce que la terrine, y'a pas besoin de l'astiquer et en plus, c'est bon à manger !

Le quatrième membre de l'équipe, je ne l'ai vu qu'à travers une vitre. Il s'appelle Boniface, c'est le goal. Lui, on ne peut pas le louper : c'est le seul Noir de toute l'école. Dans les buts, il paraît qu'il est imbattable, tellement il est rapide sur la balle. Côté scolaire, ça a l'air moins performant : il redouble son CE2. On n'a pas pu lui parler : il était coincé dans sa classe avec un exercice à terminer. Il faisait des gestes désespérés à Thomas, pour qu'il vienne l'aider. Mais la prof est apparue dans son dos. Et Thomas a semblé plutôt soulagé de replonger le nez dans son livre de géo.

Au fond de la cour grouillante de monde, le but était toujours là, un peu de guingois, pas mal rouillé, mais toujours aussi attirant. Quand Momo a fini sa bouchée, j'ai proposé :

— On pourrait pas faire quelques passes ? Vous avez un ballon ?

Djamel m'a vite refroidie :

— Cette année, on n'a plus le droit de jouer pendant les récrés. C'est dégoûtant. Soi-disant qu'il y a un petit qui a pris le ballon dans le nez. Tu parles, c'est Rémi Loivier. On le connaît : il fait du chiqué. Le directeur en a profité pour confisquer le ballon. Il le rend le soir, après l'étude. Ça laisse à peine dix minutes pour jouer avant la fermeture des portes. En fait, c'est des histoires politiques. À cause du terrain du père de Patrick.

C'est comme ça que j'ai appris l'existence de Patrick, le cinquième, le capitaine de l'équipe. Ils en avaient tous plein la bouche, de Patrick, et pas seulement le gros Momo :

— Patrick, c'est vraiment un champion !

— Il fait des tacles, faut voir les tacles qu'il fait, Patrick !

— Hé ! Et ses feintes de passes, hé, hé !

— Son record au jonglage : 177 fois !

— Il a même sauté le CM2 !

— Carrément ! Il est passé direct au collège, en sixième !

— En plus, son père est adjoint au maire.

— Il adore le foot, le père de Patrick, il a joué en deuxième division.

— C'est lui qui nous emmène dans sa bétaillère, quand y'a des matches.

— Il a même donné un de ses terrains, à côté de l'église, pour qu'on puisse s'entraîner.

— Ça a rendu le directeur de l'école furibard, parce qu'ils sont pas du même bord politique, tu comprends…

— Le directeur, il a dit que c'était pour se faire

élire, que le père de Patrick, il se prend pour le patron de l'O.M.

— Et que maintenant qu'on a un terrain profes-sionnel, ben on n'a plus besoin de jouer à l'école.

— Mais on peut pas s'entraîner tous les jours, là-bas, à côté de l'église.

— Sur le terrain, y'a un troupeau de vaches.

— Y'a même le taureau avec.

— Le père de Patrick, il les enlève que le mer-credi.

— Quand ils y sont, on peut pas jouer.

— Ça gêne et puis Thomas a peur, hein Thomas-la-pétoche?

Thomas faisait des ronds avec la pointe de ses mocassins sur le bitume de la cour :

— Oh ça va ! J'ai pas la pétoche. J'ai pas envie d'attraper le tétanos dans la bouse de vache, c'est tout !

Momo a pris sa défense :

— Remarque, quand Thomas nous a montré les bouquins avec les types complètement rongés par le tétanos, t'étais pas fier non plus, Djamel !

Gêné, Djamel m'a prise à partie :

— Forcément, la mère de Thomas est médecin. Les médecins, ils ont toujours des trucs horribles à raconter sur la santé…

Là-dessus, la cloche a sonné.

le stétho de la mère de Thomas !

Le mercredi d'après, je suis allée rôder autour de l'église, pour essayer de trouver le terrain de foot. Je n'ai pas eu de mal à le repérer : de presque aussi loin que le clocher, j'ai aperçu les grands bras de Thomas qui enfilait un tee-shirt jaune.

Le terrain, ce n'était pas le Parc des Princes, loin de là.

Fermé par une clôture électrifiée, envahi d'herbes folles et de caillasses, il n'y manquait vraiment que les vaches. Au milieu, l'herbe était coupée et les lignes de but, le rond central, les surfaces de réparation étaient marqués à la chaux.

Djamel et Boniface étaient sur le terrain. Ils se

faisaient des passes : pied-tête, tête-pied. Installé sur un pliant, un transistor beuglant à ses pieds et un sac bleu sur les genoux, Momo mangeait une banane. À côté, Thomas pliait ses chaussettes d'école avec un soin pas possible, avant d'enfiler celles de sport. On aurait dit ma grand-mère repassant ses mouchoirs en dentelle. En me reconnaissant, il a murmuré :

— Bonjour Sonia, l'air faussement décontracté, en fait vraiment intimidé.

Puis il s'est tourné de l'autre côté. À mon avis, il était gêné que je voie ses pieds.

— Mmamm Mmouaimm chalummm, a péniblement articulé Momo en terminant sa banane. Il a ouvert son sac. J'ai cru qu'il allait se changer, lui aussi. Pas du tout : c'était un sac isotherme rempli de boissons, de glaces, de fruits. Comme les cartouches du shérif dans les westerns. Il en a sorti un Esquimau…

Sur le terrain, une tête loupée de Boniface a fait voler le ballon dans ma direction. Djamel m'a vue. Il est venu :

— Tiens, salut Sonia. Tu passes par hasard ?
— Non, je suis venue vous voir jouer.
— Ah ! C'est sympa.

Thomas a fini de se changer. Au lieu de courir sur le terrain, il a méticuleusement étalé un journal sous ses fesses pour ne pas salir son short blanc et il s'est assis dans l'herbe. Je commençais à me sentir bouillir : qu'est-ce que c'est qu'une équipe de foot qui a un ballon, un terrain, des chaussures à crampons et qui ne bouge pas !

— Vous ne jouez pas ?

— On attend Patrick. Il est pas encore là.

— Vous ne vous échauffez pas, en attendant ?

— S'échauffer ? Pour quoi faire ? s'est étonné Thomas.

— Mmmmm, il fait assez chaud comme cha… a observé le gros Momo en suçotant son Esquimau. Tu veux une glace ?

— Mais enfin, il faut toujours commencer par s'échauffer. Sinon, on ne peut pas jouer.

— Ah ouais ?

— Je vous montre, si vous voulez !

— Hé ! Une minute ! Je finis ma glace.

On a attaqué sans attendre, par des tours du terrain en petite foulée. Djamel me suivait à la trace.

Boniface était increvable, ça se voyait. Thomas, en revanche, malgré ses grandes jambes, a commencé à souffler comme une forge dès le premier tour. Au deuxième, il gémissait. Au troisième, il s'est écroulé en se tenant les mollets :

— Je sais pas ce que j'ai ! Peut-être des tendinites ! Ou des ménisques cassés ! Pourvu qu'on ne soit pas obligé de m'opérer !

Momo le regardait, compatissant, en essayant de faire durer sa glace. Visiblement, il n'était pas pressé de venir rejoindre le peloton. Après, on a fait des moulinets, des sauts accroupis, des dribbles en slalom entre les cailloux. Djamel, Boniface et moi, on commençait à être bien en sueur, tous les trois.

Et Patrick n'était toujours pas là.

De fil en aiguille, comme le temps passait, Momo et Thomas sont venus nous rejoindre et on a commencé à jouer. On s'est mis Djamel-Momo-moi contre Boniface-Thomas. On était forcément deux contre trois. C'est Momo qui a engagé. La balle a fusé de traviole. Boniface était dans ses buts et Thomas gambadait mollement aux alentours de son point de corner. Le temps qu'il comprenne la situation, j'étais sur le ballon. J'ai fait un « une-deux » du tonnerre avec Djamel. Thomas a foncé sur moi pour tenter un tacle désespéré. Je l'ai dribblé sauvagement. Et d'un tir du cou-de-pied en pleine course, j'ai marqué ! Ouais ! Premier but de la partie. Et pas le dernier : on en a marqué dix-sept et eux aucun. En dix minutes. Une raclée maison ! Mais ce qui a jeté un froid, c'est quand on a changé d'équipe : moi toute seule avec Thomas,

j'ai mis 13 à 2 à l'équipe Djamel-Momo-Boniface.
Carrément l'humiliation !

Ils étaient impressionnés. Tous. Ça se voyait.
Djamel, peut-être pour se remonter le moral après
ce score accablant, essayait de la ramener malgré
tout :

— Je vous avais dit qu'elle était forte, hein, les
gars, je m'y connais !

Les autres hochaient la tête, encore essoufflés :

— On n'a jamais fait une partie comme ça !

— Ce serait bien qu'elle joue avec nous dans l'équipe…

— Surtout pour le match contre le F.C. Bugnolles, le 3 octobre…

— Faudrait qu'on en parle à Patrick.

Mais Patrick n'était toujours pas là…

Ça n'a pas été une mince affaire de le rencontrer, le fameux Patrick ! Pire qu'un ministre, le capitaine des Poussins de Saint-Grobœuf, ma parole ! Djamel était chargé de lui téléphoner pour fixer un rendez-vous. (Attention, Monsieur le Capitaine ne reçoit que sur rendez-vous…) Jeudi, vendredi, samedi, bref, chaque matin, je guettais Djamel au coin de l'avenue :

— Alors, Patrick ?

— J'ai appelé. Il était pas chez lui. Il va me rappeler.

Lundi, Patrick n'avait toujours pas daigné soulever son combiné :

— Hé, t'es sûr qu'il a le téléphone, au moins ?

— Ben forcément, puisque j'appelle chez lui !

— Non, je disais ça pour rigoler !

Djamel m'a regardée, dépité. C'est drôle, Djamel et moi, on se comprend pour tout, sauf pour rire.

Finalement, mardi, Patrick-la-star nous a fixé rendez-vous pour le surlendemain, jeudi 23 septembre, jour de l'automne, à la sortie du collège. Jour de l'automne… Était-ce un bon présage : nouvelle saison, nouvelle équipe, nouveaux succès, avec moi bien sûr ?… Ou un mauvais présage : l'automne, les feuilles meurent et les espoirs aussi, pluie sur les prés et larmes sur mes joues ?… J'ai passé pas mal de temps à ruminer la question. En tout cas, ça allait être drôlement ric-rac pour m'inclure dans la tactique d'équipe avant le match du 3 octobre, ça c'était sûr !

Le mercredi, je ne suis pas allée au terrain de foot près de l'église. J'ai préféré consacrer ma journée à me préparer pour le rendez-vous. J'ai lavé mon short et mon maillot à la main. Pas question d'arriver devant Patrick avec une tache. Ni d'attendre la prochaine lessive. J'ai séché le tout au sèche-cheveux dans la salle de bains. Les parents n'étaient pas là, heureusement. Ça m'a pris un temps fou mais ça valait le coup. Après, je me suis occupée de mes chaussures. Je les ai brossées, cirées, lustrées. J'ai même dévissé chaque crampon pour l'enduire de vaseline, comme c'est écrit dans le livre de Seb *Secrets de pro*. Le tube de vaseline en a pris un coup. La moquette du salon aussi. Je sais : j'aurais dû attendre d'être dehors pour remettre mes chaussures, mais tant pis. C'est pour le sport.

Le soir, j'ai travaillé mon mental. Je suis restée au moins une heure, super concentrée, à me repasser des actions dans la tête comme sur un écran. Beb a même cru que j'avais un malaise. Il m'a collé des grandes claques dans le dos. À mon avis c'était un prétexte pour se défouler. Il ronge son frein, pauvre Beb, enfermé dans l'appartement. Pour finir ma préparation, j'ai potassé des bouquins de foot dans mon lit, jusqu'à minuit. Jamais j'ai révisé comme ça. Même pas pour un contrôle à l'école. Surtout pas pour un contrôle ! Quand le premier club de foot a-t-il été créé ? Et où ? Combien y a-t-il de joueurs dans une équipe senior ? Quel joueur a reçu le Ballon d'or en 83 ? Patrick pouvait me demander ce qu'il voulait : j'étais incollable !

La journée du jeudi m'a paru interminable. À la sortie, on est partis avec Djamel par la rue des Amandiers. À côté du *Café de l'avenir,* juste avant d'arriver au collège, je me suis faufilée sous un porche pour ouvrir mon cartable et me changer. Mes jambes tremblotaient malgré moi, comme si elles ne voulaient plus me porter. Djamel m'a regardée bizarrement :

— Qu'est-ce que tu fais ?

— Ben je me mets en tenue !

— T'es folle, on va avoir l'air ridicule dans la rue…

— Ridicule ? Ça va pas ? Marche devant si t'es dégonflé à ce point-là ! Moi je veux que Patrick voie que je suis super motivée. Y'a que le résultat qui compte, rappelle-toi ça !

Djamel a hoché la tête en me regardant en coin :

— Tu devrais pas t'en faire comme ça !

J'aurais pas dû m'en faire comme ça. J'aurais dû m'en faire cent fois plus que ça, au contraire. On s'est assis sur un banc juste devant l'entrée du col-

lège. On a attendu, attendu, attendu. On a vu
défiler tous les élèves jusqu'à ce qu'il n'y ait plus
personne dans la rue… J'ai fini par demander :

— Tu crois qu'on a pu le rater ?

— Oh non, sûr que non !

— Il aurait pas oublié, au moins ?

— Non il doit être retardé par son travail. Un an
d'avance en sixième, faut vachement travailler, tu
sais !

Au moment où on allait repartir bredouilles, un
garçon et une fille ont déboulé d'une petite rue
sur le côté. Les cheveux mouillés, des serviettes
éponge autour du cou, ils marchaient en rigolant
et en écoutant un seul walkman.

— C'est lui ! m'a soufflé Djamel plein de respect.

— Pour un bosseur, il a plutôt l'air de sortir de la
piscine, hé !

Patrick était grand, blond, beau. Très grand, très
blond, très beau. Et très énervant. Enfin j'ai trouvé.
Mais j'étais très énervée aussi… Il a regardé
Djamel de haut, sans enlever son écouteur :

— Bon alors Djam, c'est quoi l'histoire, là ?

Djamel s'est levé.

— Écoute Patrick.

— Hein ?

La fille a sorti de sa poche un paquet de chewing-gums menthol. Elle en a mis deux dans la bouche de Patrick sans même nous en proposer. Djamel n'avait pas l'air complètement rassuré :

— Écoute Patrick, voilà, je suis venu avec Sonia…

Le Capitaine a enfin condescendu à me jeter un coup d'œil. Le premier depuis son arrivée. Djamel a continué :

— C'est une nouvelle de l'école et elle est hyper bonne en foot, en fait, comme fille… euh…

Silence. Djamel m'a donné un coup de coude. J'ai démarré :

— C'est vrai, je m'entraîne depuis longtemps et j'ai gagné des coupes, déjà… Je pourrai vous les montrer, si vous voulez…

Long silence. Brusquement rompu par un ricanement de Patrick, relayé par quelques gloussements de sa copine :

— Et alors, qu'est-ce que ça me fait ?

Djamel a commencé à piquer du nez :

— Ben… euh… c'est-à-dire que… je pensais…

J'enrageais intérieurement. Des mots ont jailli de ma bouche, comme des aboiements :

— Il pensait, on pensait que ce serait une chance pour votre équipe d'intégrer quelqu'un comme moi. Voilà !

Patrick a pris une grande respiration avant de saisir Djamel par le bras :

— Attends Djam ! Je crois que tu tapes en touche, toi ! Tu me déranges pour me dire ça ? Tu rencontres une fille qui te botte…

Djamel a levé le nez :

— Oh non, c'est pas du tout ça !

Merci pour moi ! Patrick lui a fait signe de se taire comme s'il chassait une mouche. Ou plutôt un moucheron.

— Dans la vie, y'a les filles, mon gars. C'est un truc. Pis y a les choses sérieuses. Le foot par exemple. Non mais ! Tu vas pas me proposer ta grand-tante ou Mère Teresa, pendant que tu y es ? Depuis le temps qu'on joue ensemble, il me semblait qu'on se comprenait, quand même. Mais si tu veux déconner, je manque pas de candidats pour l'équipe. J'en suis pas à prendre des filles, ça risque pas ! Y'a des filles en équipe de France ? Hein ? Maravilla, Grouskaeff, Gruyck, Kotoko, ils portent des soutiens-gorge, d'après toi ? T'as qu'à en parler aux autres, ils seront d'accord avec

moi. D'ailleurs, même si Momo et Boni sont avec toi, ma voix l'emporte. C'est bien connu : un capitaine, ça vaut trois soldats !

— Bon, on y va ? a dit la fille en commençant à se dandiner. Sinon, mes cheveux ils vont sécher et je vais rater mon brushing !

la cassette nulle qu'ils écoutaient !!!

6

QUELLE DOUCHE ! Comme si j'avais reçu les chutes du Niagara sur la tête ! Au fur et à mesure que Patrick et la fille s'éloignaient sous les marronniers, Djamel a relevé les yeux :

— Jamais, jamais j'aurais cru qu'il réagirait comme ça, Patrick !

— Ben j'espère bien ! Sinon, tu serais vraiment une ordure de m'avoir amenée jusqu'ici, au casse-pipe !

— Écoute, je suis vraiment gêné. Le mieux, je crois, c'est qu'on n'en parle plus.

On a fait encore mieux : on ne s'est plus parlé du tout. Djamel avait sa place au chaud dans l'équipe. Moi, j'étais exclue avant même d'avoir pu marquer un but : que dire de plus ?

Arrêter d'y penser, en revanche, c'était autre chose. Ça, même si j'en avais envie, je ne pouvais pas. Je revoyais sans cesse ce Patrick de malheur, sa belle gueule et son air crâneur, son walkman, son atroce copine, ses chewing-gums menthol et surtout ses mots, chacun de ses mots. J'aurais voulu les lui faire avaler un par un. À coups de marteau. À coups de massue. À coups de ballon de foot.

C'était fatal : le soir même, j'ai commencé à ruminer ma vengeance. Que faire ? Où, quand, comment contre-attaquer ? Plastiquer les hangars de son père ? M'introduire la nuit dans sa classe et mettre à sac sa table en taggant : « PATRICK GROS PLOUC, GROS NUL, GROS POURRI » ? Casser ma tirelire et payer Seb et Beb pour qu'ils aillent le tabasser ? Lui envoyer des lettres de menace ? Des coups de fil anonymes, le jour, la nuit, toute la nuit, toutes les nuits ?

Et voilà qu'une nuit, justement, je me suis réveillée en sueur avec une idée bien meilleure que tout ça. Le capitaine Patrick, j'allais le contrer sur son terrain : le football. Lui qui se croyait si malin, lui qui se permettait de dire : « Y'a les filles. Pis y'a les choses sérieuses. Tu vas pas me proposer ta grand-tante ou Mère Teresa, pendant que tu y es ? », j'allais lui montrer, moi, Sonia, dans quel ballon elles shootent, les filles ! J'allais créer une équipe

de filles. Rien que de filles. On allait disputer les sélections. L'un après l'autre, on gravirait les éche-lons. Championnats locaux, régionaux, départe-mentaux. Sous les applaudissements de la foule en délire. Et on défierait les P.S.-G. Avec leur nom ridicule. On leur mettrait une pâtée dont les supporters se souviendraient encore dans trois générations.

Et quand l'un des P.S.-G. demandera de rentrer dans notre équipe exclusivement féminine, on lui dira : « Y'a les garçons. Pis y'a les choses sérieuses. Tu vas pas me proposer ton grand-oncle ou l'Abbé Pierre, pendant que tu y es ? »

Toute la nuit, cette idée m'a illuminée comme un fabuleux son et lumière… Le lendemain matin, en observant les filles de la classe qui papotaient pour se mettre en rang, Audrey qui montrait sa nouvelle robe à Alexandra et Céline qui arborait une parure collier-bague-bracelet en coquillages qu'elle avait

passé le week-end à peindre, vernir, percer et
enfiler… mon son et lumière m'a paru un tout
petit peu moins fabuleux.
Mais bon. J'ai décidé d'en parler à Isabelle.

Isabelle, c'est la fille la plus chouette que
j'aie rencontrée depuis que je suis là.
D'abord, sur les vingt-sept élèves de
la classe, c'est la seule qui ait l'air de

bien m'aimer. Et qui me le montre. Dès que je parle, elle rigole. Mais toujours aux bons endroits. Et dès que je lui propose un plan, elle est partante, Isabelle. Au début, je ne savais pas trop à quoi m'en tenir avec elle, parce qu'elle est myope comme une taupe. Quand elle n'a pas ses lunettes, elle regarde dans le vague, avec un sourire ultra-vague. On dirait qu'elle se demande si elle est en train de suivre un safari au Kenya ou un cours sur la règle de trois. Quand elle met ses lunettes, c'est pire : ce sont les autres qui sont dans le vague. Ses yeux disparaissent au loin derrière des verres épais comme des loupes. Un jour, peu de jours après la rentrée, on s'est retrouvées côte à côte en train d'attendre le prof de gym. On a discuté. On avait le même avis sur tout. Sur les profs. Sur les élèves. Ça crée des liens, dans la vie.

Au matin de mon son et lumière, je l'ai happée par le tee-shirt :
— Hé, Isa, j'ai un plan…
— Ah super !
Elle dit super avant même de savoir. J'adore ça.

— Tu sais, Isa, je suis passionnée de foot…

— De quoi ?

Aïe… Le ballon partait de travers :

— De foot, Isabelle, le football, tu connais quand même !

Isabelle a froncé les sourcils en faisant un effort de mémoire visible même derrière ses lunettes :

— Ah ouais ! C'est le truc où tout le monde court, là. Y'a un type au-dessus de chez moi qui en regarde à la télé. L'autre soir, maman m'a envoyée lui demander de baisser le son. Il est fou, ce type !

Aïe ! aïe ! aïe ! Le foot avait l'air être encore plus vague pour elle que le tableau noir sans ses lunettes. J'avais oublié qu'Isa vit seule avec sa mère… Mais comme c'est une vraie bonne copine, elle m'a laissée raconter mon projet avant d'ajouter gentiment :

— Au fond, pourquoi pas ? C'est la dernière chose à laquelle j'aurais pensé. Mais je veux bien essayer. On va en parler aux filles de la classe pour voir qui serait intéressé…

On a fait notre petit sondage. Pas très concluant. Coralie a cru que c'était un poisson d'avril en septembre. Audrey nous a conseillé de nous adresser à son frère. (Précisément ce qu'on voulait éviter.) Alexandra n'avait apparemment pas d'idée bien précise sur ce que pouvait être le football. Ou plutôt si : elle pensait que c'était un groupe rock. Juliette a déclaré qu'elle ne jouerait que si on pouvait gagner une mini-télé. Céline a dit qu'elle n'avait aucune envie de se retrouver toute dé-coiffée. Quant à Marie-Sophie (la première de la classe) elle nous a gentiment précisé que si nous, on avait du temps à perdre avec des bêtises pareilles, tant mieux pour nous, mais que elle, personnel-lement, elle révisait ses contrôles…

Bref, sur les onze filles de la classe, à part Isabelle et moi, il n'y en avait qu'une à être d'accord. Et encore. C'était Miquette. Une toute petite qu'Isa-belle connaît depuis la maternelle et qui a tou-jours des fringues pas possibles. Miquette s'est emballée. Mais pas dans le sens qui m'intéressait. Dès qu'on lui a parlé du projet, elle s'est mise à tré-pigner :
— Ouais, super ! On pourrait se faire des fringues sur mesure. Moi je verrais bien des genres de tutus avec plein de fleurs, des grelots, des clochettes. Ce serait génial pour déconcentrer l'adversaire…

À chaque récré, Miquette se pointait avec des cro-quis qu'elle dessinait pendant les cours pour nous montrer ses idées d'habits. Au fur et à mesure que la pile de ses dessins s'épaississait, je me rendais compte que les chances de mon équipe diminuaient…

En me voyant un peu déprimée, Isa a eu l'idée de me parler de Cathy Boury, une grande fille rousse de la classe d'à côté :

— Elle est première en gym depuis qu'on fait de la gym. Première en course, en saut, en lancer de poids, en agrès : à mon avis, le foot, ça doit lui plaire…

Isa nous a présentées. La Cathy en question m'a toisée, l'air mauvais :

— Alors c'est toi qui veux monter une équipe de foot féminine ?

J'avais l'impression de me retrouver devant un Patrick en jupon. J'ai bafouillé :

— Ben… Euh… Peut-être.

— Peut-être ou sûr ?

— Disons : sûr que peut-être…

— Et ce serait qui, le capitaine ?

— Alors là… Je sais pas… J'ai pas réfléchi à ça…

— Ouais ouais… T'as pas réfléchi à ça, tu parles !

Tout ce que tu veux, c'est essayer d'être capitaine, de commander ! Moi aussi je sais jouer au foot ! Moi aussi je suis capable d'être capitaine, figure-toi ! Et même sûrement plus que toi !

— Ah ? Et toi t'es peut-être capable de trouver cinq filles pour jouer au foot dans cette foutue école, aussi ? BEN SI C'EST ÇA, T'AS QU'À LE FAIRE ! PAUVRE TÊTE DE COUENNE ! MÉDUSE ! AHURIE !

Toute la cour de récré m'a regardée : ces derniers mots, je venais de les hurler de toute la force de mes poumons. Je ne sais pas ce qui m'a pris. Ça devait être les nerfs. La Cathy Boury, toute championne qu'elle est, a fait un bond en arrière. Quant à Isa, elle m'a prise par l'épaule pour me ramener vers notre classe, comme un boxeur au bout du rouleau.

K.O. la cathy

7 L'ÉPISODE Cathy Boury a définitivement enterré mon projet d'équipe féminine. Jamais les filles de Saint-Grobœuf ne dameraient le pion aux P.S.-G. C'était un rêve. Il fallait l'oublier.

En attendant, on était fin septembre, et l'échéance du match contre le F.C. Bugnolles approchait. J'avais beau feindre l'indifférence, impossible de ne pas sentir la pression monter. Dans la classe, Djamel n'arrêtait pas de griffonner des plans tactiques sous mon nez. Pendant les récrés, Thomas et Boniface passaient leur temps à mimer des attaques. Même Momo s'entraînait sous le préau avec une corde à sauter.

Ils me regardaient en coin. J'avais l'impression qu'ils me narguaient. Ils se pavanaient comme des héros alors qu'ils n'avaient même pas encore joué… Un peu trop facile, les gars ! À tous les coups, cette cafteuse de Céline Brugnon, qui est amoureuse de Thomas parce qu'il a toujours la dernière chemise à la mode, leur avait raconté notre projet d'équipe mort-né.

Le dernier vendredi avant le match, j'ai pris Isabelle à part :

— Tu trouves pas qu'ils friment, les P.S.-G. ?

— C'est qui ça, les P.S.-G. ?

Ma parole : elle avait déjà oublié !

— Les P.S.-G., l'équipe de football ! Moi je trouve qu'ils friment à mort…

— Ah bon ? Ça m'a pas frappée. Mais maintenant que tu le dis, oui, c'est bien possible…

— Faut les voir, pendant les récrés, tu les as vus ?

— Ah ouais, ouais… Mais attends : y'a qui déjà dans l'équipe ?

— Ben Djamel, Thomas, Boniface et Momo !

— Ah ouais, Momo, le gros, a murmuré Isa de son air vague.

À mon avis, elle n'avait rien vu. Elle disait « ouais ouais » pour être gentille, une fois de plus. Ça ne m'a pas empêchée de continuer sur ma lancée :

— Ils friment comme s'ils avaient déjà gagné contre le F.C. Bugnolles, alors qu'ils n'ont même pas encore joué… Ils m'énervent rudement, tous autant qu'ils sont…

Isabelle s'est composé un air désolé :

— Ah ben oui, je te comprends.

Ça m'a donné une idée :

— Isa, je crois que j'ai un plan !

— Super ! s'est-elle exclamée, comme d'habitude, prête à foncer sans savoir de quoi il s'agissait.

— À défaut de pouvoir les battre, dimanche, contre le F.C. Bugnolles, on va les empêcher de gagner !

C'est comme ça que je me suis invitée à passer le week-end chez Isa. Chez elle, c'est pépère, le week-end : le samedi, sa mère enchaîne piscine, sauna, massage, yoga et coiffeur pour finir en beauté. Quant au dimanche : elle le passe dans son lit avec une pile de journaux, des gâteaux et une Thermos de thé.

Quand Isa me raconte ses week-ends, elle termine toujours en concluant :

— Pas étonnant que Papa soit parti. Y'avait pas vraiment de place pour lui.

Chez moi, le week-end, c'est plutôt l'ambiance : ménage à fond, courses à fond, révisions à fond, et éventuellement promenade à fond… Du coup, j'ai raconté à mes parents que la maman d'Isabelle m'invitait à un week-end randonnée…

Drôle de week-end ! Et drôle de randonnée !

Le samedi, on a passé une bonne partie de la journée scotchées sur le lit d'Isa à élucubrer des projets pour le lendemain :

— Tu comprends, ce que je veux, c'est le boycotter, ce match contre Bugnolles…

Isabelle a remonté ses lunettes :

— Ah ouais le boycotter, je vois ! Euh… ça veut dire quoi « boycotter » déjà ?

Dictionnaire à l'appui, j'ai réalisé que « boycotter »

était en dessous de la vérité. Ça veut dire mettre en quarantaine. Le mot juste, c'était plutôt « saboter » : « Chercher à neutraliser ou à contrarier par un acte de malveillance. » J'ai précisé :

— J'aime pas trop le mot malveillance, mais en gros, c'est quand même ça. Qu'est-ce qu'on pourrait faire pour les saboter ? T'as pas une idée ?

— On pourrait leur jeter un sort. Tu sais, quand on plante une épingle sur la poupée représentant la personne et il lui arrive plein de malheurs…

— Tu sais le faire, toi ?

Patriiiiiick !!!

— Non. C'est les sorcières qui le font…

— T'en connais pas, des sorcières ?

— Non… Et toi ?

— Non… Et t'y crois ?

— Non… Et toi ?

— Attends : j'ai une autre idée ! Ce qui serait génial, c'est de leur dévisser leurs crampons…

Isabelle a remonté ses lunettes :

— Ah ouais leurs crampons ce serait génial ! Euh… C'est quoi leurs crampons, déjà ?

— Tu sais, les piques sous les chaussures, pour que les pieds accrochent au terrain…

— Mais comment on pourrait faire ?

— Il faudrait aller chez eux.

— Tu nous vois débarquer chez eux : « Bonjour, c'est nous. On veut que vous perdiez. Et pour vous le prouver, on va dévisser vos crampons sous vos yeux ! »

Il y a eu un rire. Puis un silence. Puis une autre idée :

— Si on leur lançait des tomates pourries pendant la partie ? T'as pas des tomates pourries ?

— Des tomates, oui. Mais pas pourries. C'est moi

qui les ai achetées hier soir en rentrant de l'école. Et maman me fait toujours la guerre pour que je choisisse les plus dures…

— Si on les met à la chaleur, tu crois qu'elles peuvent pourrir en une nuit ?

— Où ? Les radiateurs sont éteints !

— T'as pas un sèche-cheveux ?

— Maman m'interdit d'y toucher. Il est sous clé.

— Qu'est-ce qu'on pourrait leur lancer : des serpentins, des confettis ?

— Nul ! Ça fait supporters gentils ! Il faut qu'ils sachent qu'on les déteste !

— On n'a qu'à crier : « P.S.-G., ON VOUS HAIT ! »

— Pendant un match, tout le monde crie. Ils ne nous entendront jamais !

— Alors on l'écrit !

— Super idée, ça, Isa !

Dire que je n'y avais même pas pensé ! On allait fabriquer une banderole d'un nouveau genre : hostile, antipathique, démoralisante… Une banderole anti-victoire ! Quatre heures plus tard, on mettait la dernière main à un véritable chef-d'œuvre : cloué à deux manches à balai, un grand drap blanc (Isa a affirmé que sa mère ne s'apercevrait jamais qu'il manquait dans le placard), avec écrit en énorme à l'encre noire souligné au ketchup : « P S G = PAS SAVOIR GAGNER ».

Et juste en dessous, la tête de Patrick, de Djamel, de Thomas, de Momo et de Boniface, dessinée en forme d'œuf avec cette légende assassine :
« SAINT GROBŒUF = CINQ GROS ŒUFS »

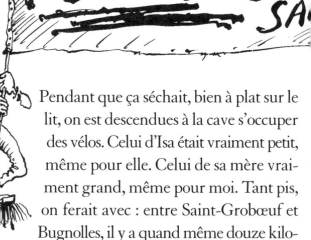

Pendant que ça séchait, bien à plat sur le lit, on est descendues à la cave s'occuper des vélos. Celui d'Isa était vraiment petit, même pour elle. Celui de sa mère vraiment grand, même pour moi. Tant pis, on ferait avec : entre Saint-Grobœuf et Bugnolles, il y a quand même douze kilomètres. Pas question de les faire à pied…

C'est là, en regardant Isa gonfler les pneus, que j'ai eu une nouvelle idée :

— Hé, et si on dégonflait leurs pneus, à eux ?

Isa a remonté ses lunettes, embuées par la trans-
piration :
— Ah ouais, super ! Mais euh… quels pneus ?
— Ben les pneus de la bétaillère qui va les

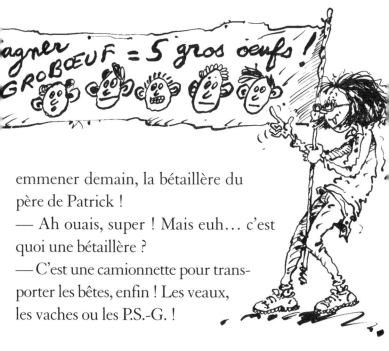

emmener demain, la bétaillère du
père de Patrick !
— Ah ouais, super ! Mais euh… c'est
quoi une bétaillère ?
— C'est une camionnette pour trans-
porter les bêtes, enfin ! Les veaux,
les vaches ou les P.S.-G. !

On a attendu que la nuit tombe pour aller rôder
du côté de la ferme des parents de Patrick. La
cuisine était allumée. Ils étaient en train de dîner.

Dans la cour, deux chiens veillaient. On n'a pas osé entrer. Dès que la rue a été déserte, on s'est glissées dans le grand hangar sur le côté, par une fenêtre entrouverte. Chouette ! La bétaillère était là, en plein milieu, toute déglinguée, magnifique ! On n'a eu qu'un geste à faire, ou plutôt quatre, pour dévisser les petits bouchons et regarder les gros pneus s'aplatir par terre. Juste derrière nous, des piaillements sortaient d'une sorte de cabane en grillage.

Isa m'a pincé le bras :

— Tu vois ce que je vois ?

— Ben quoi, c'est des poussins…

Dans la demi-obscurité, il m'a semblé discerner un éclair dans les lunettes de ma copine :

— Hé, ça te donne pas une idée ?

J'avais beau me creuser la tête : rien.

— Pourquoi on n'en prendrait pas quelques-uns pour les lâcher sur le terrain, demain ?

Isa ! Sacrée Isa ! Je l'ai embrassée !

Aussitôt dit, aussitôt fait : on a repéré un chapeau de paille accroché à un portemanteau, et zoup, zoup, zoup, d'un coup de poignet tout en sou-

plesse, on y a fait atterrir les adorables volatiles :

— Combien on en prend ?

— Ils sont cinq dans l'équipe : un pour chacun !

— Plus un pour la route, on ne sait jamais.

Ce soir-là, la maman d'Isabelle a longuement, très longuement cherché son essoreuse à salade. On l'a aidée, sans conviction. Forcément : les six poussins étaient dedans, au fond de l'armoire d'Isa, prêts à passer une nuit agitée avant le match contre Bugnolles.

de fameux chiens de garde, les clebs des parents de Patrick !

RRRRRARRR

Le matin du dimanche 3 octobre, on n'a pas eu de mal à se réveiller : on n'avait quasiment pas fermé l'œil de la nuit ! Les poussins n'ont pas arrêté pas de sauter, de piailler, de fourrager dans la chambre. On a eu beau les planquer sous le lit, sous le fauteuil, en haut de l'armoire, au fond de mon sac de voyage, rien à faire : ils bougeaient tout le temps.

— Jamais ils roupillent, ces piafs ?

— Les veilles de match, c'est connu : les sportifs dorment mal, voyons !

Vers deux heures du matin, ils se sont calmés, enfin ! Manque de chance : c'est juste le moment que la pluie a choisi pour démarrer. Elle crépitait sur les vitres comme un œuf en train de frire.

— Tu dors ?

— Non. Et toi ?

— À ton avis ?

À mon avis, on a bien eu cette conversation cinquante fois au cours de la nuit…

Le match était à 11 heures. Selon nos calculs, il fallait partir à 9 pour être à Bugnolles à 10, sans trop risquer de croiser les poussins en chemin (les autres : pas ceux à plumes, ceux à crampons). Nos calculs étaient exacts : on est arrivées pile à l'heure. Il faut dire qu'avec la pluie qui dégringolait, on n'a pas eu envie de s'attarder. On a pédalé dur. À l'arrivée, même les volatiles étaient trempés. On leur a fait faire quelques tours dans leur essoreuse. Ça leur a coupé la chique. Pauvres bêtes : essorées, mais muettes !

À Bugnolles, le stade est un vrai stade, avec une tribune et des gradins abrités de la pluie. Quelques supporters étaient déjà là. Pas beaucoup. Sept à peu près. Mais motivés comme soixante-dix-sept au moins.

— Ouais ! Les P.S.-G. on va les piler !

— Ils vont mordre la poussière, les poussinets !

Tout en fanfaronnant, ils nous regardaient de travers, Isa et moi. Forcément : ils s'imaginaient qu'on venait soutenir notre équipe. S'ils avaient lu le texte de la banderole que je tenais serrée sous mon ciré pour l'abriter de la pluie, ils auraient compris.

Ou plutôt ils n'auraient plus rien compris... À vrai dire, on se sentait un peu comme des traîtres. Ça faisait un drôle d'effet. D'ailleurs, au bout d'un moment, Isa a failli craquer :

— Ils sont pénibles, à dire tout le temps du mal de Saint-Grobœuf ! C'est notre ville, c'est là qu'on habite, à la fin, quand même !

Vers 10 heures et demie, l'équipe de Bugnolles est arrivée, dans une super Estafette rouge et blanc aux couleurs du club. Ils avaient les maillots, les chaussettes, les fanions : tout assorti. Un type avec un sifflet leur a fait faire des mouvements d'assouplissement. Puis de la course. Puis il a sorti un

filet avec des ballons et ils ont attaqué des séries de
passes deux à deux :

— T'as vu, ils sont six. C'est dégoûtant ! a observé
Isa.

— C'est pas dégoûtant. C'est qu'ils ont un remplaçant ! Comme toutes les équipes dignes de ce
nom ! Pis d'abord, t'es dans quel camp, toi, dis
donc ?

Peu à peu, le public s'est fait plus nombreux. Les
parapluies aussi. Et la rumeur a commencé à cir-
culer.

— Ils sont pas là les P.S.-G. ?

— Mais où ils sont ?

À 11 heures 15, quelqu'un est parti téléphoner.
À 11 heures 30, tandis que les premiers sand-wiches sortaient déjà le nez des papiers d'alu, on a commencé à s'inquiéter :

— Ils arrivent pas ! Qu'est-ce qui se passe ?

— J'espère qu'on n'y est pas allées trop fort !

— Faut qu'ils soient déclarés battus, pas forfaits !
Là-dessus, les haut-parleurs se sont mis à cra-chouiller :

— Chers amis, bienvenue malgré la pluie. Ne vous impatientez pas : le match F.C. Bugnolles contre P.S.-G. *(sifflets)* va avoir lieu dans quelques instants. Mais nos amis les P.S.-G. ont eu un petit contretemps…

Au même instant, une voiture jaune s'est garée en crissant des pneus. La voiture de la mère de Thomas. Une petite Fiat dont sont sortis un par un les cinq poussins plus un gros rougeaud que j'ai tout de suite identifié comme le père de Pa-trick. On aurait dit des lapins sortant du chapeau d'un magicien.

— ON-VA-GA-GNER ! ON-VA-GA-GNER ! a commencé à scander le public Bugnollois sans attendre. Les P.S.-G. se sont plantés au bord du stade. Avec leurs maillots froissés et leurs chaussettes tire-bouchonnantes, ils ressemblaient déjà à des perdants. Djamel, les sourcils froncés, avait sa tête de bête traquée. Patrick était nettement blanc et regardait autour de lui comme s'il redoutait un mauvais coup. Thomas faisait des effet de mèche pour se donner une contenance. Momo mâchait du chewing-gum sans y croire. Quant à Boniface, il a cru bon d'adresser au public de grands coucous d'un enthousiasme plutôt hors de propos.

Je me suis rencognée sous mon chapeau de ciré. Je n'avais pas envie de me faire repérer tout de suite. Les deux équipes sont entrées sur le terrain sans attendre. Ils ont fait quelques passes pour la forme. C'était informe. Les P.S.-G. couraient dans tous les sens. Très vite, l'arbitre a donné un coup de sifflet pour appeler les équipes au centre et les haut-parleurs ont repris leurs crachouillis :
— Monsieur Clodureau, arbitre indépendant

agréé par la Fédération, va procéder au tirage au sort.

Entouré des deux capitaines, le monsieur Clodu-reau en question a lancé une pièce à pile ou face sur sa main. Ils se sont parlé rapidement puis la voix a annoncé :

— Les P.S.-G. choisissent l'engagement. Le F.C. Bugnolles choisit le terrain.

Chaque équipe a pris position et le coup d'envoi a été sifflé. Aussitôt, sur le rond central, Patrick a donné un long coup de pied en direction de Djamel qui s'est enfoncé bille en tête dans la défense de Bugnolles. Djamel a voulu lui refaire une passe aussi sec, mais le ballon a été intercepté par l'arrière-droit du F.C. qui a adressé un long shoot en avant à son ailier, lequel a réussi une reprise de volée canon et boum, prenant Boniface à contre-pied, ils ont marqué. BUT ! BUT ! Les hurlements de joie n'étaient même pas calmés que le deuxième but a suivi, sur une bourde de

Patrick qui s'obstinait à attaquer en laissant derrière lui sa défense complètement désorganisée. Le troisième but a été marqué peu après, carrément sous le nez de Thomas qui a tenté de tacler, mais si mal qu'il n'a réussi qu'à s'aplatir dans une flaque de gadoue. Ses lunettes ont volé à dix mètres. Quand il est remonté, couvert de boue des cheveux aux crampons, j'ai cru qu'il allait pleurer. Pauvre Thomas ! Lui si soigneux de ses affaires ! Pour un peu, j'aurais eu pitié… En dix minutes de jeu, le F.C. Bugnolles menait par 3 à 0.

C'en était trop : le père de Patrick s'est levé comme un ressort et a commencé à courir derrière les barrières pour apostropher l'équipe. Il gesticulait, donnait des ordres, des contrordres :

— Repliez-vous en défense, vite !… Non ! Non ! Attaquez au centre !… Taclez ! Taclez ! Mais taclez, bon sang de bois !

L'arbitre a fini par lui demander de s'asseoir et de la boucler. Ça a eu l'air de dérégler Patrick encore un peu plus. Il s'est mis à jeter ses jambes comme un dératé dès qu'un membre du F.C. Bugnolles approchait. À un moment, il a même lancé un croche-pied carrément intentionnel au numéro 3, un défenseur rouge super costaud. L'autre l'a agrippé par le maillot. Patrick lui a décoché une béquille d'enfer ! Ouille ouille ouille ! Rien qu'à voir, ça faisait mal. L'arbitre a aussitôt sifflé un coup franc à la limite de la surface de réparation en faveur du F.C. Bugnolles. C'est le gros costaud qui l'a tiré. Il a marqué illico. La balle est passée sous le nez de Boniface comme une fusée. Et de quatre !

Hourras ! Vivats ! Trépignements !

C'est le moment qu'on a choisi pour dérouler notre banderole. Avec l'humidité, l'encre avait un peu coulé, mais on lisait bien quand même. D'ailleurs, ça n'a pas loupé. J'ai vu Djamel pousser Patrick du coude. Ruisselant, hagard, Patrick a regardé dans notre direction longtemps, longtemps… Si longtemps qu'il n'a même pas vu que la partie reprenait. Le numéro 3 rouge, lui, a bien vu que Patrick n'était pas au jeu. Sans perdre une seconde, il a décoché un mégashoot dans sa direction. Toute son envie de vengeance dans la pointe de ses crampons. Le temps que Djamel hurle : « ATTENTION ! », Patrick a reçu le ballon en pleine nuque, un vrai boulet de canon. Il a chancelé comme une quille et il s'est effondré à terre. Coup de sifflet. Affolement.

— Et les poussins, on les lâche maintenant ? m'a crié Isa derrière ses lunettes dégoulinantes…

— Attends, attends ! Une seule chose à la fois !

— Ça fait un bail qu'on les entend plus, j'espère qu'ils sont pas morts, dis donc…

J'ai jeté un coup d'œil dans l'essoreuse en vitesse :

— Crois-moi si tu veux : ils dorment !

La voix dans les haut-parleurs a fait taire la foule hurlante :

— Mesdames, messieurs, s'il y a un médecin dans l'assistance, pourrait-il se présenter auprès de l'arbitre, s'il vous plaît…

Sur le terrain, des gens ont soulevé Patrick par les jambes et par les bras. Tout le monde se bousculait. La mère de Thomas a couru chercher sa mallette dans sa voiture. Quand je suis arrivée dans les vestiaires, elle était en train d'ausculter Patrick, stéthoscope autour du cou. Allongé sur un banc, il était aussi inerte que blanc. Elle lui a collé une baffe. Quelle bonne idée ! Mais ça ne l'a pas fait bouger. Elle s'est relevée :

— Je ne peux pas vous dire ce qu'il a exactement. Il faut faire des examens. Mais de toute façon, il ne peut pas reprendre la partie, c'est évident.

— Y a-t-il un remplaçant ? a demandé l'arbitre, contrarié.

— Oui, moi !

Djamel m'a regardée. C'était la première fois qu'il me souriait depuis le jour des chewing-gums menthol. Personne n'a rien trouvé à redire au fait que je sois une fille. Sauf l'arbitre, qui m'a demandé, sourcil froncé :

— Mais vous n'êtes pas en tenue ?

— Si si !

J'ai dû négocier serré avec la mère de Thomas pour pouvoir piquer l'équipement de Patrick comme on dépouille un soldat blessé. Ses chaussures étaient vraiment immenses. On a échangé avec Djamel : les siennes étaient un peu trop petites. Ça faisait une moyenne.

Quand je suis entrée sur le terrain, on était à deux doigts de la mi-temps. On y est arrivés sans encaisser de but supplémentaire, heureusement ! Dès que l'arbitre a sifflé, j'ai appelé les P.S.-G. dans un coin pour les reprendre en main :

— C'est pas comme ça qu'on va gagner les gars ! Faut se réveiller ! Faut y croire ! Faut tout mettre dans la partie comme si notre vie en dépendait. En seconde mi-temps, on change de tactique. La seule façon d'y arriver, c'est de faire des petites passes rapprochées, ultra ciblées, ultra précises. OK ?

Les gars ont été supers. Djamel et Thomas ont pigé au poil. Ils ont fait tourner la défense adverse en bourrique, y'a pas d'autre mot. Momo a puisé dans ses réserves pour contrer un nombre incalculable de ballons. Boniface était survolté. Un vrai fauve déchaîné dans sa cage. Il a capté tous les tirs, aériens ou à ras de terre, avec une agilité dingue. Dans les cinq premières minutes, Djamel a eu deux occasions. Il les a saisies toutes les deux. Pan et pan ! 4 à 2. À la dixième minute environ, Thomas a même marqué un but. Personne n'a bien compris comment. Lui non plus, apparemment. Un ballon repoussé par le goal rouge sur un shoot de Djamel. Thomas l'a fait rouler au fond des filets tout gentiment. Le but était bel et bien dedans ! Ouais ! 4 à 3 ! Dans la tribune, Isa avait replié la banderole, et elle hurlait, debout, bras tendus, plus fort que tout le monde :

— P-S-G ! ON-VA-GA-GNER !

À cinq minutes de la fin, Momo s'est fait accrocher au short dans la surface de réparation par l'ailier gauche du F.C. L'arbitre a sifflé un penalty. Momo, galvanisé, l'a tiré de toute ses grosses jambes. Pile dans le mille. Égalité ! À deux minutes de la fin, la marque était toujours de 4 à 4. On a eu un corner. Djamel l'a tiré long et droit, comme je les aime, en diagonale devant le but. J'ai intercepté de la tête. La plus belle tête de ma vie ! Elle est

rentrée au ras
du poteau comme un
couteau dans du beurre
tendre ! Djamel m'a
soulevée dans ses
bras. Comme
Grouskaeff et Kotoko au dernier match de coupe
d'Europe. Pourtant je suis plus lourde que lui.
Les Bugnollois étaient pétrifiés. Dans les tribunes,
on n'entendait plus qu'Isa, toute seule, qui criait :
— ON-A-GA-GNÉ ! ON-A-GA-GNÉ !

Quand il est rentré de l'hôpital, le lundi après-
midi, Patrick a plutôt bien réagi. Il a félicité son

équipe pour la victoire et quand Djamel lui a raconté ma tête historique au dernier but, il a même dit :

— Pourquoi on la prendrait pas dans l'équipe, cette fille, hein les gars ? Faut pas être sectaires dans la vie ! Quand on voit de quoi elles sont capables, les filles, quelquefois, c'est formidable ! Regardez Mère Teresa !

Le soir, du coup, je lui ai rapporté ses poussins, chez lui. Il ne pleuvait plus. Le soleil se couchait, rouge flamboyant sur le ciel encore tourmenté. On a parlé. C'était sympa.

En se quittant, il m'a lancé :

— Salut Sonia, alors on se voit à l'entraînement, mercredi ?

Il n'y a que les imbéciles qui ne changent pas d'avis…

les poussins du P.S.G…

FANNY JOLY s'est documentée comme une folle pour cette histoire sur le foot et a dû réquisitionner toutes les compétences familiales en la matière ! Auteur de nombreux romans et albums pour les enfants, Fanny Joly est très fière d'une chose : quand elle reçoit un prix littéraire, le jury est toujours composé de jeunes lecteurs. Souvent complice de Christophe Besse (*La Grande Méchante Lou*, chez Casterman ; *Ernest le poète*, chez Hachette…), Fanny Joly est aussi l'auteur, avec son frère Thierry, des textes de leur sœur Sylvie. Fanny Joly vit à Paris, elle a trois enfants.

Sachez-le, **CHRISTOPHE BESSE** a toujours eu horreur des cours de gym ! Lui, son truc, c'était plutôt le dessin. Ça l'est toujours d'ailleurs, puisque Christophe Besse est illustrateur depuis une quinzaine d'années maintenant. Sachez aussi que, même si ses personnages ont toujours l'air un peu débraillé, Christophe Besse est extrêmement méticuleux et qu'il a réalisé les illustrations de ce livre à la plume et à l'encre de Chine sur papier calque. Sachez enfin que Christophe Besse a trois enfants, qu'il vit à Paris et enseigne le dessin à Poitiers.

TABLE
DES CHAPITRES

HUIT & PLUS
(à lire à partir de huit ans)

DIX & PLUS
(à lire à partir de dix ans)

Enlevée par les Indiens
de Mary Jemison ■ illustré par J.-M. Payet ■ aventures

Le cri du kookabura
de Jean Ollivier ■ illustré par C. Blain ■ aventures

Mon prof est un espion
de Robert Boudet ■ illustré par Serge Bloch ■ mystère

Quercy rap
de Stéphane Daniel ■ illustré par C. Rouil ■ mystère

Rock parking
d'Y. Pinguilly ■ illustré par N. Van der Straeten ■ mystère

Une soirée d'enfer
de Claude Carré ■ illustré par D. Boll ■ humour

Imprimé en Belgique par Casterman s.a., Tournai.
Dépôt légal : mars 1995 ; D. 1995/0053/46
Déposé au ministère de la Justice, Paris
(loi n° 49.956 sur les publications destinées à la jeunesse).